Wojciech Widłak

Pan Kuleczka

Ilustrowała Elżbieta Wasiuczyńska

Media Rodzina

ISBN 83-7278-062-5

Harbor Point Sp. z o.o.
Wydawnictwo Media Rodzina
ul. Pasieka 24, 61-657 Poznań
tel. (061) 820-34-75, fax 820-34-11
mediarodzina@mediarodzina.com.pl
www.mediarodzina.com.pl

Łamanie komputerowe
perfekt, ul. Grodziska 11, 60-363 Poznań

Druk
Gazeta Handlowa
ul. Forteczna 3-5, 61-362 Poznań

Pan Kuleczka
(czyli małe wprowadzenie)

Oriole Park Branch
7454 W. Balmoral Ave.
Chicago, IL 60656

Nowi lokatorzy zawsze budzą zainteresowanie. Więc kiedy do jednego z mieszkań w bloku przy ulicy Czereśniowej wprowadził się nowy lokator, sąsiedzi dużo o nim rozmawiali. A było o czym. Nowy lokator stale chodził w muszce i w dodatku chyba codziennie w innej. Był... hmm... dość okrągły. Nawet nazwisko miał okrągłe: Kuleczka. Jak miał na imię, nikt nie mógł zapamiętać, więc mówiono po prostu Pan Kuleczka.

Pan Kuleczka zawsze się uśmiechał i grzecznie pierwszy się kłaniał. Nikt nie wiedział dokładnie, czym się zajmuje. Ktoś podobno kiedyś słyszał, że Pan Kuleczka pracował w cyrku, ale już przeszedł na emeryturę. Ktoś inny mówił, że Pan Kuleczka prowadzi w domu warsztat naprawy zepsutych zabawek. A jeszcze ktoś powtarzał, że Pan Kuleczka jest najprawdziwszym czarodziejem, ale w to nikt nie wierzył. Wiadomo przecież, że prawdziwy czarodziej ma brodę, wąsy, spiczastą czapkę, no i czarodziejską różdżkę, bo inaczej czym by czarował?

Najwięcej w domu przy ulicy Czereśniowej rozmawiano o zwierzątkach. Bo Pan Kuleczka mieszkał ze zwierzętami. Z psem. Z kaczką. I z muchą. Pies nazywał się Pypeć, kaczka — Katastrofa, a mucha — Bzyk-Bzyk. Najpierw dziwiono się, że można tak dziwnie nazwać psa i kaczkę. Potem dziwiono się, że w ogóle można nazwać muchę. Jeszcze potem dziwiono się, bo się okazało, że pies i kaczka potrafią mówić. I wreszcie dziwiono się, że mucha Bzyk-Bzyk nie potrafi, tylko zwyczajnie bzyczy.

Ale w końcu przestano się dziwić, bo do klatki obok wprowadził się pewien aktor z telewizji i wszyscy zaczęli rozmawiać tylko o nim. Pan Kuleczka, Katastrofa, Pypeć, a nawet Bzyk-Bzyk bardzo się z tego ucieszyli. Wreszcie stali się zwyczajnymi sąsiadami!

3

Okulary

Pan Kuleczka wyglądał przez okno i uśmiechał się. Niebo było tak czyste, a drzewa tak zielone, jakby ktoś przed chwilą przetarł je wszystkie wilgotną ściereczką. Ptaki śpiewały nieznaną, ale wesołą melodię. W taki dzień chyba nie można było mieć złego humoru.

Wtedy właśnie otworzyły się drzwi i do pokoju wbiegła kaczka Katastrofa.

— Jestem zła, zła, zła! — powiedziała stanowczo i dodała: — I będę zła!

— Dlaczego? — zainteresował się Pan Kuleczka, a mucha Bzyk-Bzyk podleciała bliżej, bzycząc współczująco.

— Jak to, dlaczego? Okulary mi zginęły! — wykrzyczała Katastrofa i zamilkła ponuro.

Pan Kuleczka nie przypominał sobie, żeby Katastrofa nosiła okulary, ale na wszelki wypadek pomilczał chwilę ze zrozumieniem, a potem powiedział:

— Może poszukamy i się znajdą?

— Nie znajdą się! — parsknęła z przekonaniem Katastrofa.

— Już wszędzie szukałam. To na pewno Pypeć mi je zabrał!

Pan Kuleczka nie przypominał sobie też, żeby Pypeć nosił ostatnio jakieś okulary, a zwłaszcza okulary Katastrofy. Ale coś mu się wydawało, że nawet gdyby powiedział to głośno, Katastrofa by nie uwierzyła... Więc nie powiedział nic.

Pypeć także milczał. Siedział obok, ale myślami był daleko. Patrzył na drzewo za oknem i właśnie się zastanawiał, jak wyglądałby świat, gdyby niebo było zielone, a liście niebieskie. Ciekawe, czy jesienią robiłyby się fioletowe, czy po prostu granatowe?

— A może, na przykład, różowe? — powiedział nagle rozmarzonym głosem i zaraz sam sobie odpowiedział: — Nie, różowe to chyba nie...

Katastrofa najpierw się zdziwiła, a zaraz potem rozzłościła.

— Jak to nie różowe?! — zawołała. — Przecież dobrze wiesz, że moje okulary są właśnie różowe!

Pypeć przez chwilę powtarzał na zmianę „liście", „różowe"
i „okulary", zanim zrozumiał, o czym mówi Katastrofa. Ale Pan
Kuleczka od razu pokiwał głową.

— No, tak — powiedział — jeśli zginęły ci różowe okulary,
to teraz wszystko jest jasne.

I wytłumaczył Pypciowi i Bzyk-Bzyk, jak bardzo ważne są
w życiu różowe okulary. Właśnie różowe, a nie jakieś inne.
Że dzięki nim cały świat wygląda inaczej — lepiej, pogodniej
i radośniej. I że sprawa jest tak poważna, że wszyscy powinni
jeszcze raz wziąć udział w Wielkim Domowym Poszukiwaniu
Różowych Okularów.

Katastrofa najpierw słuchała z otwartym dziobkiem, potem
troszkę się nadęła, a jeszcze potem została kierownikiem po-
szukiwań. Poszukiwacze podzielili się na cztery grupy i rozeszli
się po domu. Już niedługo grupa „Pypeć" zawołała radośnie
z łazienki:

— Są, są! Znalazłem!

Okazało się, że okulary schowały się w kubeczku Katastrofy
— zamiast jej szczoteczki do zębów. (Tymczasem szczoteczka
w jakiś tajemniczy sposób znalazła się w pokoju, przy jej łóżku). Katastrofa natychmiast je założyła. Pan Kuleczka miał rację! Świat wyglądał zupełnie inaczej, a Katastrofa zaraz powe-
selała i prawie się nie złościła do samego wieczora. Raz
dała nawet na chwilę przymierzyć okulary Pypciowi.
Pypciowi wydało się, że świat przez nie wyglądał właściwie tak samo, tylko trochę bardziej różowo, ale nie

powiedział tego Katastrofie, no bo po co? Dopiero wieczorem, tuż przed snem, podzielił się tym na ucho z Panem Kuleczką.

— Wiesz co? — odszeptał mu Pan Kuleczka. — Bo to jest tak, że niektórzy mają zawsze różowe okulary, tylko niewidzialne. I ja myślę, że to nawet lepiej. Takie niewidzialne okulary znacznie trudniej się gubią!

❤ Skojarzenia ❤

Pan Kuleczka, pies Pypeć i kaczka Katastrofa bawili się w skojarzenia. Mucha Bzyk-Bzyk latała wkoło nich, żeby przypadkiem o niej nie zapomnieli.

— Wysokie — powiedział Pypeć, bo była akurat jego kolej.

— Góry! — zawołała natychmiast Katastrofa.

— Dobrze! — pochwalił Pan Kuleczka.

— Niech pan nie mówi „dobrze", tylko co jest wysokie — powiedziała Katastrofa. — Bo pan przegra!

Pan Kuleczka podrapał się po muszce.

— Wysokie... Hmm — zamruczał. — Wiem! Mniemanie!

— Nie ma żadnego wysokiego mniamania! — rozłościła się Katastrofa.

— Ależ jest — bronił się Pan Kuleczka. — To znaczy, że się coś szanuje... No, lubi.

Katastrofa nie wyglądała na przekonaną.

— Nie można mówić takich słów, których reszta nie rozumie! — powiedziała.

— Bzyk-bzyk — zabzyczała Bzyk-Bzyk, która właśnie przelatywała między nimi.

— Chyba, że się jest Bzyk-Bzyk — dodał Pypeć.

Katastrofa najpierw zmarszczyła brwi, ale potem się roześmiała.

— Uwaga! — zawołała. — Teraz ja! Słodkie!

— Lenistwo! — natychmiast zawołał Pan Kuleczka.

— Ciasto! — krzyknął równocześnie Pypeć.

— Ciasto... — powtórzyła Katastrofa rozmarzonym głosem. Z wrażenia zapomniała nawet nakrzyczeć na Pana Kuleczkę, że znowu wymyśla jakieś niestworzone rzeczy.

— Wiecie co? — powiedział Pan Kuleczka. — Przecież możemy upiec ciasto!

— Placek! — zawołał Pypeć.

— Z jabłkami! — dodała nadzwyczaj zgodnie Katastrofa.

Po chwili już byli w kuchni. Mąka, jabłka, cukier i jajka zaczęły fruwać wokół jak zaczarowane. Pypeć odnalazł przepis w książce kucharskiej, Katastrofa przyturlała tortownicę, a Bzyk-Bzyk bardzo się starała, żeby nie przeszkadzać. Prawie jej się udało. Właściwie tylko raz był kłopot, jak wpadła do mąki i wyglądała jak muszy duch. Nie można jej było umyć, bo Pan Kuleczka powiedział, że z wody i mąki zrobiłoby się ciasto, a nikt nie chciał Bzyk-Bzyk w cieście. Na szczęście Pypeć wpadł na pomysł, żeby ją delikatnie otrzepać pędzelkiem, i rzeczywiście, Bzyk-Bzyk z białej zrobiła się normalnie czarna.

Ciasto wyszło świetnie. Jabłka były soczyste, a wierzch chrupki. Pod spodem trochę się przypaliło, ale nawet Katastrofa nie narzekała.

— Ale mieliśmy dobhe skohaszenie — powiedział trochę niewyraźnie Pypeć, połykając przedostatni kawałek. — Mniam, mniam.

— To się dopiero nazywa słodkie lenistwo! — dodał Pan Kuleczka.

— A ja myślę — powiedziała jeszcze Katastrofa — że to właśnie było wysokie mniamanie.

Zły sen

Kaczka Katastrofa uciekała przed olbrzymem. Olbrzym trochę przypominał listonosza, który tak groźnie marszczył brwi, gdy wrzucał listy do ich skrzynki. A trochę był podobny do Pana Pinezki — sąsiada, który nigdy się nie uśmiechał. Biegł za nią. Słyszała jego głośne TUP-TUP. Zaraz ją dogoni! A gdzie Pan Kuleczka? Gdzie pies Pypeć? Nawet mucha Bzyk-Bzyk mogłaby pomóc — na przykład ugryźć olbrzyma w ucho. Ale Bzyk-Bzyk też nie było, a tupanie olbrzyma stało się jeszcze głośniejsze.

— Nieeeee! — zawołała z całych sił Katastrofa i usiadła.

Było ciemno. Olbrzym tupał TUP-TUP, ale nigdzie nie było go widać. Obok siedzieli Pypeć i Pan Kuleczka.

— Co ci się stało? — pytał Pypeć.

A Pan Kuleczka głaskał ją i mówił:

— Nic się nie bój. To był tylko sen.

— Zły, zły, zły sen — wyjąkała Katastrofa.
— Ale on jeszcze TUPIE!

— Kto? — zapytali równocześnie Pypeć i Pan Kuleczka.

— Olbrzym — wydyszała Katastrofa.

Pan Kuleczka mocno ją przytulił.

— To twoje serce tak głośno bije — powiedział, głaszcząc ją po głowie.

Katastrofa przez chwilę wsłuchiwała się w to przeraźliwe TUP-TUP. Rzeczywiście, najgłośniej tupało w niej w środku.

— Schował się we mnie — powiedziała. I zaraz pomyślała, że to niemożliwe. Taki wielki olbrzym by się w niej nie zmieścił. Zaczęła się rozglądać, a Pan Kuleczka zapalił światło. Wszystko było znajome: kolorowa kołdra, zegar na ścianie i nawet kilka klocków na podłodze, których nie zdążyli sprzątnąć wieczorem. Z sąsiedniego pokoju dolatywało delikatne pochrapywanie: „bzyyyk-bzyk, bzyyyk-bzyk". Katastrofa trochę się uspokoiła, ale zapytała:

— To gdzie on jest?

Pan Kuleczka zastanowił się chwilę i powiedział:

— Myślę, że w jakimś innym śnie. Olbrzymom jest bardzo trudno, bo wszyscy się ich boją i nikt nie chce się z nimi bawić. Dlatego wędrują przez różne sny i ciągle mają nadzieję,

że wreszcie uda im się znaleźć kogoś, kto się ich nie przestraszy. To musiał być jeden z nich.

— Ojej, nie wiedziałam! — zmartwiła się Katastrofa.

— Rety! — zachwycił się Pypeć. — Wyobrażam sobie, jakby mnie taki olbrzym pobujał na kolanie. A ja bym go nauczył grać w ambasadora! Wiecie co? To ja już śpię. Może jeszcze uda mi się go złapać. — I wskoczył do swojego legowiska.

— Jak to? — oburzyła się Katastrofa, szybko okrywając się kołdrą. — Przecież to mój olbrzym!

Pan Kuleczka pocałował ich oboje i też poszedł spać. Rano okazało się, że śniła mu się matura (ale nie chciał powiedzieć, jak wyglądała). Pypciowi — bezludna wyspa, a Katastrofie samochód w kształcie hamburgera. Olbrzyma nigdzie nie było. Ale to nic, spróbują jeszcze następnej nocy!

Porządek

Porządek, porządek to wróg zwierządek

— mruczała kaczka Katastrofa.

— Powinno być „zwierzątek" — powiedział pies Pypeć zza łóżka.

— Porzątek, porzątek to wróg zwierzątek — zamruczała nadzwyczaj zgodnie Katastrofa.

Sprzątali z Pypciem swój pokój. Katastrofa sama nie wiedziała, czy bardziej jest zadowolona, czy zła. Zadowolona z mruczanki, którą sama wymyśliła, a zła z powodu porządków. Bo oczywiście to wcale nie ona je wymyśliła, tylko Pan Kuleczka.

Pypeć wyszedł zza łóżka, wypychając stamtąd piłeczkę, która zginęła im latem, dwie kredki (obie zielone!), ogon latawca, pudełeczko, pieniążek i kilka małych kolorowych kartoników.

— Myślę, że Pan Kuleczka mógł się zdenerwować tą naszą grą na podłodze — powiedział Pypeć.

Rano grali w „Superfarmera" na łóżku Katastrofy i pod koniec trochę się posprzeczali. A potem tak jakoś wyszło, że kartoniki ze zwierzątkami porozsypywały się po całym pokoju. Może nie całkiem same się porozsypywały, ale w każdym razie teraz znajdowali je w najprzedziwniejszych miejscach.

— A może to przez ten jogurt? — zastanawiała się Katastrofa.

W czasie gry zgłodniała i przyniosła sobie jogurt z lodówki. Tak jakoś wyszło, że trochę jogurtu wylało się na nią. A trochę na poduszkę. A jeszcze trochę na prześcieradło. A reszta na dywanik. Katastrofa już zmyła jogurt z siebie, a teraz zeskrobywała go z dywanika.

— A może przez książki? — zastanawiał się dalej Pypeć. Podnosił książki z podłogi i ustawiał na półce.

Rano, po skończonej grze, przygotował je sobie do przeczytania. To znaczy — zdjął z półki i kilka położył na stosiku z jednej strony swojego legowiska, a kilka na stosiku z drugiej. I jeszcze kilka na trzecim. A resztę na szafce. No a potem tak jakoś wyszło, że stosiki się przewróciły, a książki z szafki spadły.

I to właśnie wtedy wszedł do pokoju Pan Kuleczka, rozejrzał się i całkiem niepanakuleczkowym głosem powiedział, że tak nie może być, że w takim pokoju nigdy w życiu nic nie będą mogli znaleźć i że prosi, żeby jednak zrobili z tym wszystkim jakiś porządek. I wyszedł. No to zaczęli sprzątać.

— Porządek, porządek to wróg zwierządek — znów zamruczała Katastrofa, ale nagle przerwała.

Pypeć spojrzał na nią, potknął się i upuścił jedną z książek.

— Jest! — zawołała Katastrofa. — Jest, jest, jest! Znalazła się! A myślałam, że już nigdy jej nie zobaczę!

Podskakiwała jak kangur i kręciła się jak bączek. Przez cały czas mocno przytulała do siebie coś małego i różowego.

— Moja kochana Mysza Wisza! — wołała Katastrofa. — To dlatego ostatnio mi się tak niewygodnie spało! Była w mojej poduszce! A jak zdjęłam poszewkę, to się znalazła!

Drzwi się otworzyły i do pokoju zajrzał Pan Kuleczka.

— A może wy wiecie — zaczął dość niepewnym głosem — gdzie się podziała moja...

— Żółta muszka! — zawołał nagle zaskoczony Pypeć, wpatrując się w coś, co właśnie wypadło mu z książki.

Katastrofa wciąż przytulała Wiszę, wykrzykując radośnie to i owo.

— Była w mojej książce — dziwił się Pypeć. — Tej, którą nam pan czytał ostatnio.

— Hm — powiedział trochę zakłopotany Pan Kuleczka — widocznie użyłem jej jako zakładki. Nie pamiętam...

— Hura, hura! — przerwała Katastrofa, obcałowując ciągle Myszę Wiszę. — Niech żyje porządek...!

Pan Kuleczka i Pypeć tak się zdziwili, że nie powiedzieli nic. A Katastrofa jeszcze z rozpędu zaśpiewała:

— ...przyjaciel zgubionych zwierzątek!

Niebo

Pan Kuleczka, kaczka Katastrofa, pies Pypeć i mucha Bzyk-
-Bzyk siedzieli na kocu pod wielkim dębem. Było ciepło, zielo-
no i leniwie. Po trawie łaziły mrówki i widać było, że są w dobrym humorze, bo nie gryzły. Prawie wszyscy byli w dobrym
humorze. Oprócz Pypcia. Wszystko przez ptaszka, który pięk-
nie nad nimi gwizdał, ale najpierw nie dał się zobaczyć, a jak
już się dał, to Pypeć nie mógł go znaleźć w książce o zwierzę-
tach, którą specjalnie przyniósł ze sobą w plecaku. A jak już

prawie, prawie znalazł, to ptaszek zrobił „frrr" i zniknął na niebie. Więc Pypeć był na niego zły, bo nie wiedział, kto to taki. Byłoby lepiej, gdyby na dębie gwizdała zebra. Albo żyrafa. Zebrę i żyrafę Pypeć rozpoznałby od razu. A tu akurat ten ptaszek...

Pan Kuleczka zauważył, że z Pypciem coś jest nie tak, i wtedy właśnie wpadł na pomysł, żeby zrobić ognisko.

— Ale musi być bardzo, bardzo duże! — wołała Katastrofa.

— I bezpieczne — dodał cicho Pypeć.

— Bzzzzy! — bzyczała Bzyk-Bzyk i każdy mógł sobie to tłumaczyć, jak chciał.

Pan Kuleczka powiedział, że jeśli ma być ognisko, to trzeba naznosić suchych gałęzi. Pobiegli więc między drzewa, tylko Bzyk-Bzyk latała w pobliżu Pana Kuleczki, żeby się nie zgubić, bo już się zaczynało ściemniać. Pypeć się potykał, bo wciąż się rozglądał za ptaszkiem, który wolał odlecieć do nieba, niż mu się przedstawić.

Katastrofie samo przenoszenie gałęzi wydało się nudne. Namówiła Pypcia, żeby spróbowali nabrać Pana Kuleczkę. Schowali się za drzewami i Katastrofa zaczęła szczekać, a Pypeć kwakać, aż Pan Kuleczka prawie dał się nabrać. Nabrałby się zupełnie, gdyby nie to, że normalnie ani Pypeć nie szczekał, ani Katastrofa nie kwakała.

W końcu usiedli wokół ogniska, a Pan Kuleczka nadział im na kijki jabłka, które niespodziewanie znalazły się w jego plecaczku. Siedzieli więc, patrzyli w ogień i piekli jabłka. Z przodu było im ciepło, z tyłu trochę zimno, a wszędzie — jakoś tajemniczo. Katastrofa wyobrażała sobie, że wróciła z polowania na dinozaury i że zaraz zje najsmakowitszy kotlet ze środkowego rogu dinozaura (choć nie pamiętała dokładnie, czy dinozaury w ogóle miały jakieś rogi). Pan Kuleczka dziwił się, że choć tyle się zmieniło, to trawa i ognisko pachną tak samo jak wtedy, gdy był małym chłopcem. I tak samo iskry lecą do nieba, mieszając się z gwiazdami. Pypeć wpatrywał się w płomień i widział ogniste ptaki, zebry, żyrafy, zamki i całe miasta. Ale zanim im się zdążył dokładnie przyjrzeć, pojawiały się nowe i Pypeć pomyślał, że musi je koniecznie zapamiętać, żeby zostały przynajmniej w nim w środku. Bzyk-Bzyk spała i śniło jej się to wszystko naraz i jeszcze wiele innych wspaniałych rzeczy, ale jakich — nie wiedzieli, bo nie wypada przecież podglądać cudzych snów.

W końcu Pypeć powiedział:

— W niebie to chyba musi być podobnie jak przy naszym ognisku...

A gdy jedli jabłka, nikt nie miał wątpliwości, że Pypeć ma rację.

Układanka

— Właściwie to nie ma sensu — powiedziała kaczka Katastrofa.

Pies Pypeć się nie zdziwił. Słyszał to już dzisiaj ładnych parę razy.

— Nie widzisz gdzieś kawałka z fioletowym kwiatkiem? — zapytał, rozglądając się wokół.

— Widzę miliony kawałków, więc może na którymś jest fioletowy kwiatek — powiedziała Katastrofa.

Tyle to Pypeć sam wiedział.

Układali układankę. Na razie to była jeszcze rozkładanka, a może nawet rozrzucanka, bo kawałki leżały na całym kuchennym stole. Ale Pypeć miał nadzieję, że powoli, powoli, z tych małych kolorowych kawałeczków uda im się ułożyć obrazek. Taki jak na pudełku — dom z ogrodem pełnym kwiatów. Tak powiedział Pan Kuleczka.

Katastrofa wcale nie była tego pewna.

— To nie ma sensu — powiedziała. — Przecież tych kawałków jest za dużo!

Rzeczywiście, kolorowe kartoniki zajmowały cały wielki stół, a obrazek miał być taki jak ten na pudełku. Tak powiedział Pan Kuleczka.

— O, mam niebieski kwiatek! — ucieszył się Pypeć i dołożył znaleziony jakimś cudem kawałek.

— To nie ma sensu — powiedziała Katastrofa. — Przecież ten obrazek już jest cały — o, tu, na pudełku. To po co go jeszcze raz układać? I po co go ktoś pokroił na takie powykręcane ogryzki?

— Żeby było ciekawiej — zamruczał wpatrzony w stół Pypeć.

— Ciekawiej?! — zawołała Katastrofa. — To ja już wolę, żeby było nudniej! Przez to „ciekawiej" cały dzień w ogóle nie da się z tobą bawić!

— Taak? — zdziwił się Pypeć i dodał zamyślony: — Tu mi brakuje jednej części nieba. Niebieskiej... A nigdzie jej nie widzę...

Katastrofa podała mu kawałek.

— To wstaw zieloną — poradziła.

Pypeć dopiero teraz zdziwił się na dobre.

— Po pierwsze, tak nie można, a po drugie, ta zielona tu nie pasuje — wytłumaczył. — Każda część ma swoje miejsce.

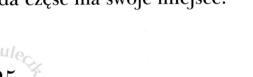

— Bo tak powiedział Pan Kuleczka? — wykrzywiła się strasz-
nie Katastrofa.

— No, tak — potwierdził Pypeć. — Tak powiedział, bo tak
jest.

— Eee tam. — Katastrofa nie wyglądała na przekonaną. —
Zobacz, na pewno się uda!

I spróbowała wcisnąć zielony kawałek tam, gdzie było niebo.

Kawałek nie dawał się wcisnąć.

— O! — zawołał Pypeć, zanim Katastrofa zdążyła się rozzłościć. — On pasuje tutaj, do trawnika!

— To ja go znalazłam! Ja go włożę! — zawołała natychmiast Katastrofa.

Zielony kawałek rzeczywiście pasował.

— Ojej — zdziwiła się Katastrofa — z powykręcanego ogryzka zmienił się nagle w kawałek trawnika!

— Mhmm — pokiwał głową Pypeć i włożył następną część. — Bo jest na swoim miejscu.

— O, widać coraz więcej! — dziwiła się wciąż Katastrofa.

Teraz zobaczyła kawałek drzewa i od razu położyła go, gdzie trzeba. Jej kawałek przytulił się do innych kawałków, jakby tylko na to czekał...

Dalej poszło im całkiem szybko. Dom z ogrodem ułożył się prawie sam. Pan Kuleczka, którego zawołali, długo się nim zachwycał, a Bzyk-Bzyk latała i siadała to tu, to tam, jak to ona.

A gdy Katastrofa już zasypiała, wyszeptała do Myszy Wiszy:

— Wiesz, Wiszo, nasz dom też jest jak układanka. Bo wszystko ma swoje miejsce. I wszystko do siebie pasuje.

I mocno ją przytuliła.

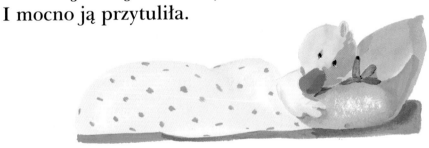

☙ Lustro ☙

Pan Kuleczka pracował u siebie, a kaczka Katastrofa i pies Pypeć grali w piłkę. Normalnie — w przedpokoju. Mucha Bzyk-Bzyk stała na bramce. Właściwie — latała na bramce. A jeszcze bardziej właściwie — tylko bzyczała radośnie i latała od jednej bramki do drugiej, bo była za mała, żeby złapać taką dużą piłkę. Ale bardzo jej się to latanie podobało.

— Jeeeeest! — zawołał Pypeć.

— Wcale nie! — zawołała natychmiast zdyszana Katastrofa. — Słupek!

I pokazała na występujący w roli słupka kapeć Pana Kuleczki.

— Musiałaś nie zauważyć — powiedział Pypeć. — Piłka przeleciała obok słupka.

— No właśnie! — podchwyciła Katastrofa i pokazała: — Obok! W ogóle nie ma gola.

— Jak to nie ma? Przecież piłka wpadła do bramki. O, tu! — Pypeć pokazał z drugiej strony kapcia. — Prawda, Bzyk-Bzyk?

Bzyk-Bzyk zmieniła się z bramkarza w sędziego i usiadła w środku bramki Katastrofy.

Katastrofa jeszcze próbowała się bronić, że wszystko dlatego, bo ktoś przesunął kapeć, to znaczy słupek, ale robiła to już bez przekonania.

— Jeden-jeden — ogłosił zamiast sędziego Pypeć. — Rozpoczynają zawodnicy w żółtych koszulkach i czerwonych skarpetkach.

— Uuuuu! — zawołała zamiast kibiców Katastrofa i z całej siły kopnęła piłkę w stronę pypciowej bramki. Bardzo chciała wygrać.

Ale piłka wcale nie poleciała do bramki. Przefrunęła nad głową zdumionego Pypcia szybciej niż Bzyk-Bzyk i wleciała... prosto w lustro. Lustro powiedziało coś w rodzaju szybkiego „BENK!" i nagle narysowało się na nim wiele kresek.

— Trochę przypominają pajęczynę — zaczął zastanawiać się Pypeć, ale więcej nie zdążył powiedzieć, bo drzwi się otworzyły i wbiegł Pan Kuleczka.

— Nic wam się nie stało? — zapytał zdyszany.

— Nie — powiedział Pypeć.

— Bzyk-bzyk — zabzyczała Bzyk-Bzyk.

— To nie ja, to nie ja... — powiedziała Katastrofa.

Pan Kuleczka rozejrzał się po całym przedpokoju.

— To... — powiedziała znowu Katastrofa.

Pan Kuleczka spojrzał na lustro, a potem na Katastrofę.

— To... — zaczęła po raz kolejny Katastrofa i wreszcie dokończyła: — To ja, ale ja nie chciaaaałam!

I zalała się łzami.

— Naprawdę — potwierdził zaraz Pypeć. — Graliśmy sobie po prostu, i było jeden-jeden, i żółci w czerwonych skarpetkach zaczynali właśnie...

— Chciaaaałaaam strzeeeliiiić goolaaaa — wyjaśniała Katastrofa wśród łez.

— ...no i właśnie wtedy lustro się... podzieliło — dokończył Pypeć.

Pan Kuleczka przyglądał im się uważnie.

— Hm... — powiedział w końcu. — Tak to już jest, że lustra się czasem, hmm... dzielą. Zwłaszcza, jak grają w piłkę.

I wziął Katastrofę na ręce. Katastrofa spojrzała w lustro. Wyglądała zupełnie inaczej niż zwykle. Trochę przypominała smoka, a trochę ufoludka. Miała mnóstwo dziobów i oczu, i bardzo kanciasty brzuch. A Pan Kuleczka, który ją przytulał, miał tyle rąk, że gdyby to były nogi, mógłby być stonogą! Katastrofa przestała płakać i zawołała:

— Pypeć, Bzyk-Bzyk, zobaczcie, zobaczcie!

A potem chichotała na widok wielu uszu i ogonków Pypcia. Tylko Bzyk-Bzyk, jak się okazało, nic w tym podzielonym lustrze nie przybyło: ani skrzydełek, ani oczu, ani nic innego. Za to pojawiło się całe stado muszek identycznych jak ona!

— To chyba nawet lepsze od meczu — powiedział Pypeć, przekręcając się to przodem, to bokiem, a Katastrofa prosiła Pana Kuleczkę, żeby zostawili to lustro na zawsze, bo z nim będzie o wiele weselej niż z tym starym.

Pan Kuleczka się nie zgodził.

— Wiecie, trzeba jednak kupić nowe — wyjaśnił. — Bo jak patrzę w to tutaj, to nie wiem, na którą głowę mam założyć kapelusz.

Awaria

    Pan Kuleczka siedział na kanapie przy swojej ulubionej lampce i czytał gazetę. Pies Pypeć z kaczką Katastrofą leżeli na dywanie wśród kredek. Rysowali bitwę morską. Pypeć statki i marynarzy, a Katastrofa fale i latające kule armatnie. Wokół nich też coś latało. To mucha Bzyk-Bzyk przyglądała się z bliska rysunkowi i siadała to tu, to tam.

    Pypeć właśnie zaczął rysować kapitana, a Katastrofa kolejną armatnią kulę, gdy nagle zrobiło się zupełnie ciemno. Wszystko zniknęło — ściany, drzwi, kanapa, lampka i Pypeć wśród kredek na dywanie. Było trochę straszno.

    — Oj! — powiedział ktoś.

Nie wiadomo kto, bo nic nie było widać.

— Nic nie widać — powiedział ktoś inny, ale jego też nie było widać.

— Bzyk-bzyk — zabzyczał jeszcze ktoś.

— To Bzyk-Bzyk! — ucieszyły się dwa inne głosy.

Miło było rozpoznać coś znajomego wśród ciemności.

— To jakaś awaria — powiedział znad kanapy głos Pana Kuleczki. — Ciekawe, czy w innych domach też nie ma światła...

Kanapa zaskrzypiała, a potem kroki ruszyły w stronę okna. Ciemność nie była już taka czarna jak na samym początku i jak się dobrze popatrzyło, to widać było postać w kształcie Pana Kuleczki. Nagle rozległ się chrzęst, krótki okrzyk, a potem postać z hukiem upadła na podłogę.

— Ajajaj! — powiedział głos Pana Kuleczki. — Chyba się poślizgnąłem na kredkach.

— Oj! — powiedział głos Katastrofy. — Już lecę panu pomóc!

I ciemna postać w kształcie Katastrofy poderwała się w stronę większej postaci, leżącej w pobliżu okna. Rozległ się chrzęst, krótki okrzyk i mniejsza postać z trzepotem wpadła na większą.

— Hi, hi, hi! — zawołała mniejsza postać głosem Katastrofy. — Pypeć, chodź! Mówię ci, jest super! Lepiej niż na łyżwach.

— Ja tam wolę poczekać — powiedział spokojny głos Pypcia. — Dokończę kapitana.

Postać w kształcie Pana Kuleczki wstała ostrożnie i wyjrzała przez okno. W żadnym sąsiednim domu nie paliło się światło.

— To jakaś poważniejsza awaria — powiedziała postać w kształcie Pana Kuleczki i powoli oddaliła się w stronę kuch-

ni, omijając środek pokoju. Nie każdy musi lubić jazdę na kredkach.

Z kuchni dobiegł trzask pocieranej zapałki. A po chwili w pokoju pojawił się Pan Kuleczka ze świecznikiem w dłoni. Widać go było całkiem dobrze, a z tyłu na ścianie tańczył wesoło jego wielki cień. Wszystko było na swoim miejscu — ściany, drzwi, kanapa, lampka i Pypeć wśród kredek na dywanie.

— Hura! — ucieszyła się Katastrofa.

Najbardziej chyba na widok kredek, bo natychmiast — ziuu — przejechała się na nich. Tym razem wpadła na Pypcia, który nawet nie zareagował. Wpatrywał się zdumiony w swojego narysowanego kapitana. Okazało się, że po ciemku zrobił mu brodę na ramieniu, nos jak trąbę słonia, a w tym nosie fajkę! Katastrofie bardzo się ten kapitan spodobał. Aż poprosiła Pana Kuleczkę, żeby na chwilę zgasił świecę, bo ona też chce coś takiego narysować.

Długo potem siedzieli przy stole, a Pan Kuleczka to zapalał, to gasił świecę. Musieli tylko pilnować, żeby Bzyk-Bzyk nie podleciała za blisko płomienia. Pypeć i Katastrofa na przemian rysowali, oglądali swoje rysunki i śmiali się z tego, co im wyszło.

A gdy w końcu nagle znowu włączyły się wszystkie światła, stwierdzili, że jest jakoś za jasno i Pan Kuleczka je pogasił. Nawet kolację zjedli przy świecach.

— Było super! — powiedziała na dobranoc Katastrofa.

A Pypeć dodał:

— No, to może jutro też zrobimy sobie taką awarię?

Niespodzianka

— Nie — powiedział pies Pypeć. — Nie, nie, nie. Przecież ci mówiłem. Tak nie można.

Właśnie próbował uczyć kaczkę Katastrofę grać w grzybobranie. Zwykle grywał z Panem Kuleczką, ale tym razem Pan Kuleczka pracował w swoim pokoju i prosił, żeby mu nie przeszkadzać. Katastrofa bardzo chciała się nauczyć. Tylko po swojemu.

— Nie można i nie można. Bo co? — spytała już chyba po raz setny i niechętnie wyjęła grzybki ze swojego koszyczka. Włożyła je tam, bo myślała, że Pypeć nie zauważy.

— Nie, bo nie — powtarzał Pypeć po raz setny. — Takie są zasady.

— Bzyk-bzyk — bzyczała mucha Bzyk-Bzyk, która latała między nimi i co chwila siadała na grzybkach albo kostce. Pewnie jej się wydawało, że też gra.

— Ale to nudne — narzekała Katastrofa.

Właściwie nie było wcale takie nudne, tylko Katastrofa akurat przegrywała.

— Nie! — krzyknął Pypeć.

Tym razem nie na Katastrofę, tylko na Bzyk-Bzyk, która usiadła na malutkim muchomorku. Muchomorek był co prawda
drewniany, ale Pypeć pomyślał, że nigdy nic nie wiadomo. Może dla małych muszek nawet drewniane muchomorki są trujące?

— No, nie! Już chyba łatwiej by mi było nauczyć Bzyk-Bzyk!
— narzekał Pypeć. — Szkoda, że umie mówić tylko to swoje
bzyk i bzyk.

Katastrofa nawet zapomniała się obrazić, bo zaczęła się zastanawiać, co takiego mogłaby im powiedzieć Bzyk-Bzyk, gdyby tylko potrafiła.

— Przecież ona w końcu musi zacząć mówić — powiedziała z przekonaniem. — Wszyscy kiedyś zaczynają.

Bzyk-Bzyk latała od niej do Pypcia, jakby wiedziała, że to o niej mowa.

— Aha — powiedział Pypeć, składając grzybki do pudełka. — Ciekawe, jakie powie pierwsze słowo. Może „Pypeć"? Albo może „muchomor"?

— Nie! — krzyknęła Katastrofa. — Na pewno „Katastrofa"!

— No, nie! — powiedział Pan Kuleczka, który właśnie stanął w drzwiach i usłyszał, o czym rozmawiają. — Myślę, że powie takie słowo, które często słyszy. Może powie „Pan Kuleczka"?

— Nie! — zawołała Katastrofa. — To za długie!

— A „Katastrofa" to niby krótsze? — stanął w obronie Pana Kuleczki Pypeć.

— No to może choć samo „Pan"? — zaproponował Pan Kuleczka.

Katastrofa znów chciała coś powiedzieć, ale nie zdążyła. Bzyk-Bzyk, która wciąż latała wokół nich, podleciała, usiadła jej na dziobie i zadziwiająco wyraźnie zabzyczała jedno, jedyne słowo:

— Nie!

Wszyscy zamilkli. A po chwili Katastrofa pierwsza zawołała:

— To się dopiero nazywa nie-spodzianka!

✶ Księżyc ✶

Pies Pypeć czuł niepokój. Właściwie nie miał żadnego szczególnego powodu. Wszystko wyglądało jak najlepiej. Za oknem było biało i mroźnie, ale w domu — jak zwykle kolorowo i ciepło. Siedzieli sobie z kaczką Katastrofą na fotelu i oglądali grubą książkę z bajkami. Trochę droczyli się przy tym z muchą Bzyk-Bzyk, która ciągle chciała, żeby szybciej przerzucali kartki. Ale nie za bardzo, więc to nie mógł być żaden powód do niepokoju. A jednak... Pypeć wiercił się na poduszce. Co mogło się dziać?

Katastrofa w końcu przewróciła stronę. Na następnym obrazku patrzył na nich z koguta wąsaty pan w długim płaszczu i wysokich butach.

— Pan Twardowski! — powiedziała Katastrofa. — Na księżycu!

— Bzyk-bzyk! — zabzyczała mucha Bzyk-Bzyk i usiadła obok namalowanego Pana Twardowskiego.

Była to chyba najszybsza podróż na księżyc, jaką Pypeć mógł sobie wyobrazić. Pokiwał głową. To tylko bajka. Pan Twardowski poleciał na księżyc na kogucie. Po pierwsze, koguty są małe. Po drugie, nie latają. Po trzecie, nawet gdyby latały, to nie

doleciałyby do księżyca, bo to za daleko. No, ale gdyby w baj-
kach działy się tylko takie rzeczy, które są możliwe naprawdę,
to co to by były za bajki!

Katastrofa przewróciła kartkę.

— Bzyk-bzyk — zabzyczała Bzyk-Bzyk i odleciała na chwilę
od książki. Chyba się trochę wystraszyła wilka, który rozma-
wiał z Czerwonym Kapturkiem.

Krążyła chwilę po pokoju, a potem usiadła na szybie. Pypeć spojrzał za nią, zsunął się z fotela i posłapał w stronę okna. Sam nie wiedział dlaczego. Wdrapał się na parapet, spojrzał i... zamarł. Z ciemnogranatowego nieba patrzył na niego błyszczący i okrągły księżyc. Świecił jak latarnia, a od jego blasku śnieg przed domem migotał mnóstwem białych iskierek.

Pypeć poczuł coś dziwnego. Nagle zapragnął być jak Pan Twardowski albo Piotruś Pan, albo nawet Bzyk-Bzyk. Unieść się w górę i polecieć — gdzieś daleko, ponad roziskrzonymi zaśnieżonymi ulicami, domami, lasami i polami — prosto w ten białosrebrny talerz, świecący na niego z góry. Chciał o tym przynajmniej komuś powiedzieć, ale nie wiedział jak. Brakowało słów. Po prostu czuł to wszystko gdzieś w środku. Musiał to jakoś z siebie wypuścić. Zadarł nos w stronę dalekiego księżyca za szybą i...

— Auuuuuuu! — rozległo się nagle w całym domu.

— Co, co, co, co to? — podskoczyła na fotelu Katastrofa, aż jej książka wypadła. Pokręciła głową ze zdumienia. — Pypeć, przestań! Ale mnie wystraszyłeś! Myślałam, że to ten wilk ożył. Co ci się stało?

Drzwi się otworzyły i do pokoju wpadł Pan Kuleczka.

— Coś się stało? — zapytał prawie tak samo jak Katastrofa.

Zza zasłony wyleciała Bzyk-Bzyk i teraz wszyscy wpatrywali się pytająco w Pypcia, który dalej siedział na parapecie. Tyle że spuścił oczy i chyba się nawet zaczerwienił.

— No... — zaczął. — Sam nie wiem. To chyba przez ten
księżyc.

Pan Kuleczka odetchnął, pokiwał głową i się uśmiechnął.

— Aaaa — powiedział ze zrozumieniem. — Wszystko jasne.
To się nazywa zew krwi.

— Jaki znowu ziew krwi! — rozzłościła się Katastrofa. — Pypeć wcale nie ziewał! I na szczęście nie było żadnej krwi.

Pan Kuleczka próbował coś tłumaczyć, ale w końcu pokręcił
głową, wziął Katastrofę, Pypcia i Bzyk-Bzyk na ręce i zgasił
światło. Najpierw zrobiło się ciemno, ale już po chwili cały pokój zalało białe światło.

— To wszystko przez księżyc — powiedział Pan Kuleczka. —
Widzicie, jak jasno świeci? Wszystko wygląda inaczej niż zwykle, a na ścianie tańczą dziwne cienie.

Złożył ręce i na ścianie rzeczywiście pojawił się jakiś tajemniczy stwór — kogut, a może wilk?

Przy księżycowym świetle bawili się w teatrzyk cieni aż do ko-
lacji. Każdy starał się pokazać najstraszniejszego potwora. Wy-
grała Bzyk-Bzyk, która pokazała Strrrrasznie Dziką Muchę.

A kiedy wieczorem Pypeć leżał już pod kołdrą, zerknął jeszcze raz przez okno. Księżyc był już zupełnie
gdzie indziej, ale dalej świecił tajemniczo, choć może trochę weselej. Więc
Pypeć się uśmiechnął i bardzo, bardzo
cicho zaziewał mu na dobranoc:

— Auuuuu...

☙ Świat ❧

Kaczka Katastrofa i pies Pypeć grali w piłkę. Pypeć właśnie strzelił Katastrofie gola, gdy w drzwiach stanął Pan Kuleczka i powiedział:

— Dziś chciałbym wam pokazać, jak wygląda świat.

Pypeć z Katastrofą aż otworzyli buzie ze zdziwienia. Mucha Bzyk-Bzyk, która im sędziowała, też pewnie otworzyła, ale miała taką malutką buzię, że trudno się było zorientować.

— Cały świat? — upewnił się Pypeć.

— Wyjeżdżamy na wyprawę dookoła świata! — ucieszyła się Katastrofa. Tymczasem, zanim jeszcze wyruszyli, postanowiła skorzystać z nieuwagi Pypcia i strzeliła mu bramkę.

Bzyk-Bzyk odbzyczała gola. Pypeć miał już powiedzieć, że tak to się nie liczy, ale nie zdążył. Pan Kuleczka wyciągnął ręce zza pleców i pokazał coś dużego, okrągłego i kolorowego.

— Piłka! — zawołał Pypeć.

— Ale świetna! — zachwyciła się Katastrofa. — Gramy!

— A po co ma to trzymadełko? — zaciekawił się Pypeć.

— Właśnie! Tylko będzie przeszkadzać! — zawołała Katastrofa. — Odczepiamy!

Pan Kuleczka wyglądał na trochę oszołomionego. Znów schował kulę za siebie i powiedział:

— Zaraz, zaraz. Poczekajcie. To nie piłka, tylko globus. Tak właśnie wygląda nasz świat.

— Nieprawda! — zawołała Katastrofa. — Świat wygląda zupełnie inaczej! I jest większy. Gramy! — powtórzyła, choć z nieco mniejszą pewnością.

Pan Kuleczka nie dał się przekonać i na wszelki wypadek wciąż trzymał globus za sobą.

— To może nam pan pokaże ten świat? — zapytał w końcu zaciekawiony Pypeć.

— Pokażę, jak obiecacie, że nie będziecie nim w nic grać — zgodził się Pan Kuleczka.

— No dobra — wydusiła niechętnie Katastrofa. Pypeć już wcześniej kiwnął głową.

Usiedli wszyscy przy stole, oprócz Bzyk-Bzyk, która jak zwykle latała to tu, to tam. Pan Kuleczka postawił pośrodku globus i powiedział:

— To niebieskie to są morza, oceany i jeziora, a zielone i żółte — ziemia. Góry są zaznaczone na czerwono i brązowo.

— Ale na świecie jest dużo wody! — zauważył Pypeć i na wszelki wypadek odgonił łagodnie Bzyk-Bzyk, która usiadła na środku jakiegoś oceanu. Tylko tak, bo ocean, tak jak wszystko inne, był tylko narysowany.

Pan Kuleczka pochylił się nad globusem.

— Te zawijasy to rzeki — tłumaczył dalej.

— Aha — zamruczał Pypeć, wpatrzony w całe mnóstwo wijących się linii. I pomyśleć, że każda z nich oznaczała jakąś wielką, długą i szeroką rzekę z mostami, statkami, rybami, a nawet ważkami latającymi przy brzegu...

— A tu jest najcieplej — powiedział Pan Kuleczka i pokazał grubszą kreskę, biegnącą naokoło globusa.

Katastrofa, która od dłuższego czasu milczała, dotknęła grubszej kreski, ale nic nie poczuła. Tego już było za wiele.

— Tu wcale nie jest najcieplej! — wybuchnęła nagle. — Najcieplej jest zimą przy kaloryferze, a latem na plaży! A w ogóle to gdzie tu na tym świecie jest nasz dom?!

Pan Kuleczka spojrzał na nią zdumiony. Chwilę milczał zaskoczony, a potem zaczął tłumaczyć, że ich domu tu nie ma, bo musiałby być bardzo, bardzo malutki, więc i tak nie byłoby go widać...

Katastrofy wcale to nie przekonało. Rozzłościła się jeszcze bardziej i wypaliła:

— To co to za świat, na którym nie ma naszego domu?!

Przez resztę wieczoru udało im się zrobić dom. Nieduży, z pudełka od zapałek, ale zawsze. W środku siedział plastelinowy Pan Kuleczka i Pypeć, Katastrofa i Bzyk-Bzyk. Przykleili dom do globusa przezroczystą taśmą, a potem bawili się w podróże. Zamykali oczy i pokazywali palcem jakieś miejsce na globusie, a Pan Kuleczka opowiadał im, że wylądowali wśród kangurów, pingwinów albo słoni. Wszyscy byli zadowoleni. Katastrofa też. Nawet nie narzekała, że na globusie nie widać chmur ani nie czuć zapachów. No bo na tym świecie stał już ich dom, a to w końcu było najważniejsze, prawda?

Spis treści